I'm hasiant, Becky Bagnell.
Diolch am dy ddoethineb,
cefnogaeth a'th gyfeillgarwch.
Rwyt ti'n wych! – PB

I Natacha – MB

Paid Byth â Goglais Teigr
ISBN 978-1-84967-258-0

Cyhoeddwyd gan Rily Publications Ltd
Blwch Post 20,
Hengoed CF82 7YR

Addasiad gan Elin Meek

Cyhoeddwyd gyntaf yn Saesneg ym Mhrydain
yn 2015 gan Bloomsbury Publishing Plc,
50 Bedford Square, Llundain WC1B 3DP, o dan y teitl
Never Tickle a Tiger

Gan fod llawer o gyflythrennu yn y testun gwreiddiol,
addasiad yn hytrach na chyfieithiad yw'r testun Cymraeg.
*As there is a great deal of alliteration in the original text,
the Welsh text is an adaptation rather than a translation.*

Argraffwyd a rhwymwyd yn China gan Leo Paper Products, Guangdong.

Cyhoeddwyd gyda chymorth ariannol
Cyngor Llyfrau Cymru.

www.rily.co.uk

Paid Byth â Goglais Teigr

Pamela Butchart

Darluniau gan
Marc Boutavant

Addasiad Elin Meek

RILY

Un fach brysur oedd Nia bob amser;
byth a hefyd yn gwingo ac yn siglo,
yn troi ac yn trosi,
ac yn ffidlan yn llawn ffwdan.

Allai hi ddim peidio.

Roedd hyn yn digwydd gartref . . .

“Paid â phoeri’r pys ’na, Nia!” meddai Dad.

Yn yr ysgol . . .

“Paid â pheintio â’r plethau ’na, Nia!” meddai Miss Gwenno.

Yn nhŷ Mam-gu . . .

"Paid â gwneud pethau gwirion â'r gwau 'na, Nia!" meddai Mam-gu.

Ac mewn partïon, wel . . .

"Paid â jyglo'r jeli 'na, Nia!" gwaeddai pawb.

Er i Nia wneud ei gorau glas, roedd hi'n methu'n deg ag aros yn llonydd.
"Does dim pwynt," ochneidiodd. "Un fach brysur ydw i, a dyna ddiwedd arni."

Felly, pan aeth Blwyddyn 4 ar daith i'r sw, doedd neb yn synnu gweld Nia yn gwingo ac yn siglo, yn troi ac yn trosi, ac yn ffidlan yn llawn ffwdan yn syth ar ôl cyrraedd.

“Paid ag anwesu’r neidr,” gwaeddodd Miss Gwenno.

“Paid â chyffroi’r eliffantod.”

"Paid ag arteithio'r arth."
"Paid â mela â'r mwncïod."
"Paid â churo'r crwbanod."
"Paid â phoeni'r paun."

"A phaid **byth**, byth
â goglais teigr!"

Amser cinio, roedd Nia yn chwarae â'i bwyd ac yn cwyno,
"Dyw hyn ddim yn deg – dwi ddim yn cael gwneud dim byd byth.
Beth sy'n bod ar ffidlan yn llawn ffwdan, ta beth?"

Ychydig a wyddai Nia ei bod hi ar fin cael gwybod.

Wrth i bawb orffen eu cinio,
neidiodd Nia i'w thraed

a sboncio'n sionc
dros y fainc,

sleifio mynd ar hyd y llawr,

gwasgu o dan y llwyni.

Cipiodd bluen fawr gan barot,
a dawnsio ar hyd y llwybr
yr holl ffordd . . .

at y man lle roedd

y **teigr** yn byw!

"Rraaaa-rr!" rhuodd y teigr. Taflodd ei bawennau mawr i'r awyr . . . a dorrodd gangen . . . a gododd ofn ar neidr . . .

a frathodd arth . . . a waldiodd walrws . . . a ddeffrodd ddiogyn . . . a bwniodd bengwin . . .

Tybed? meddyliodd Nia
ac estyn y bluen fawr
a goglais,
goglais
a goglais y teigr!

a giciodd rinoseros . . . a roddodd hergwd i hipo . . .

a fu'n siglo ac yn woblo cyn syrthio . . .

a grafodd grocodeil . . . a gnodd ddrewgi . . . a ddrewodd dros banda . . .

. . . SBLAAASH!

Rhuodd y llew, parablodd pob parot, hisiodd pob neidr, a thrwmpedodd pob eliffant yn uchel iawn. Bu Miss Gwenno'n gwichian, y plant yn giglan a charlamodd ceidwad y sw atyn nhw.

Tybed? meddyliodd Nia

ac estyn y bluen fawr

a goglais,

goglais

a goglais y teigr!

"Rraaaa-rr!" rhuodd y teigr. Taflodd ei bawennau mawr i'r awyr . . . a dorrodd gangen . . . a gododd ofn ar neidr . . .

a frathodd arth . . . a waldiodd walrws . . . a ddeffrodd ddiogyn . . . a bwniodd bengwin . .

Oedd, roedd hi'n
halibalŵ yn y sw.
Ac ar Nia roedd y
bai am bopeth.
Ond yna . . .

"PEIDIWCH!" gwaeddodd Nia nerth ei phen.
"Peidiwch â gwichian a gwawchio,
sblasio ac ysgwyd adenydd. Dim mwy o ruthro a hyrddio,
taro a chrwydro. Dim mwy o wingo a siglo
a ffidlan yn llawn ffwdan!"

A wyddoch chi beth? Dyna ddigwyddodd!
Rhoddodd ceidwad y sw y gorau i garlamu,
rhoddodd Miss Gwenno y gorau i wichian,
rhoddodd y plant y gorau i giglan ac
aeth yr anifeiliaid yn ôl i'w cartrefi.
A hithau, Nia . . .

"Chi oedd yn iawn drwy'r amser, Miss Gwenno," meddai hi.
"Wna i byth **goglais** teigr eto."

"Ond . . .

12

. . . mae'n iawn i mi arthio ar arth wen,
on'd yw e?" holodd Nia.

Never Tickle a Tiger

4 Izzy was forever shuffling and jiggling, squirming and twitching, wriggling and fiddling.

5 She just couldn't help it.

6 It happened at home . . .
"Izzy, stop playing with your peas!" said Dad.

At school . . .
"Izzy, stop painting your pigtails," said Miss Potterhurst.

7 At Grandma's . . .
"Izzy, stop knotting my knitting," said Grandma.
And as for at parties, well . . .

8 "Izzy, stop jiggling the jelly!" cried everyone.
No matter how hard she tried, Izzy just couldn't keep still.
"It's no good," she sighed.
"I'm just a jiggler and that's that."

9 So when, one day, class 4B went on a trip to the zoo, it came as no surprise to anyone that Izzy was wriggling, jiggling, shuffling and fiddling as soon as they walked through the zoo gates.

10 "Stop stroking the snakes," called Miss Potterhurst.
"Don't excite the elephants."

11 "Forget about bothering the bears."
"Don't mess with the monkeys."
"Izzy, stop tapping the tortoises."
"Stop poking the peacock."

12 "And never ever tickle a tiger!"

13 At lunchtime, Izzy sat shuffling her sandwiches.

"It's so unfair," she said.
"I'm never allowed to do anything. And what's wrong with fidgeting anyway?"

Little did Izzy know that she was about to find out!

14 Whilst all the other children finished their lunch, Izzy fidgeted her feet, bounced across the bench, shimmied on to the floor, wriggled under a bush,

15 skipped past the aviary and danced along a path all the way to . . .

16 the tiger enclosure!

18 "I wonder?" thought Izzy and, with that, she reached out a feather and tickle, tickle, tickled the tiger!

19 "Raa-aa-ah! roared the tiger.
He threw his furry paws in the air . . .
which broke a branch . . .
which startled a snake . . .

20 who bit a bear . . .
who walloped a walrus . . .
who splashed a sloth . . .
who punched a penguin . . .

21 who kicked a croc . . .
who snapped at a skunk . . .
who ponged a panda . . .

22 who rammed a rhino . . .
who hit the hippo . . .
who wibbled and wobbled and . . .

24 . . . SPLAAAASH!

The lion roared, the parrots squawked, the snakes hissed and the elephants trumpeted loudly. Miss Potterhurst squealed, the children giggled and the zookeeper came running.

25 It was pandemonium!
And it was all Izzy's fault. But then . . .

26 "STOP! shouted Izzy at the top of her voice. "Stop squealing, squawking, splashing and flapping. Enough running, roaming, ramming and bumping. No more jiggling, wriggling, shuffling and squirming!"

28 And guess what? It worked!
The zookeeper stopped running, Miss Potterhurst stopped squealing, the children stopped giggling and all the animals went back to their homes.
And as for Izzy . . .

29 "You were right all along, Miss Potterhurst," she said.
"I'll never ever tickle a tiger again."

But . . .

31 What can be the harm of prodding a polar bear? she thought.